Juliette

pique-nique

Texte et illustrations de
Doris Lauer

Aujourd'hui, il fait beau.
Toute la famille va déjeuner à la campagne. Papa porte les paniers du pique-nique.

Il faut d'abord trouver un joli coin pour s'installer.
- Tu as vu, maman, mon petit banc de mousse ?
Maman et papa posent une grande nappe à carreaux sur l'herbe.

Maman sort plein de bonnes choses
à manger des paniers.
Papa met les boissons au frais dans
le ruisseau. Juliette lui apporte des
grosses pierres pour caler les bouteilles.
- Vite, papa, c'est lourd !

- Venez manger ! dit maman.
Juliette a envie de tout : des œufs durs, des tomates, du saucisson, des radis, de la salade de riz...
- C'est chouette les pique-niques, on peut manger avec les doigts !

Mais voilà qu'un papillon bleu vole autour de Juliette.

- Eh toi, ne mange pas ma tartine, dis donc !

Juliette n'a plus faim. Elle préfère regarder les fourmis qui transportent des grosses miettes de pain.

Pour le dessert, Juliette a trouvé des fraises des bois.
-Mmmm ! Elles sont bonnes ! Je vais en cueillir pour papa et maman.
Elle les apporte dans son petit panier.
-Et maintenant, une bonne sieste ! dit papa.

Plic, une goutte d'eau vient s'écraser sur le petit nez de Juliette.
-Il faut tout remballer, s'écrie maman, il va pleuvoir !
-Pas sur moi, je suis bien protégée, dit Juliette.

-Vite, à la voiture, nous allons être trempés !
-Bon, c'est moi qui serai la première arrivée. Mais on reviendra après la pluie, d'accord ? demande Juliette.

Lito
41, rue de Verdun 94500 Champigny-sur-Marne
Imprimé en CEE
Loi n° 49-956 du 16 juillet 1949 sur les publications destinées à la jeunesse
Dépôt légal : mars 1999